A L B A T R O S

Arnold Lobel

Kvak a Žbluňk od jara do Vánoc

Kvak a Žbluňk
od jara do Vánoc

A R N O L D
L O B E L

Albatros

Přeložila Eva Musilová

Frog and Toad All Year
© Arnold Lobel, 1976
Published by arrangement with HarperCollins *Children's* Books,
a division of HarperCollins Publishers.
Translation © Eva Musilová – heir, 1995

ISBN 978-80-00-03014-2

Šup dolů z kopce

Žabák Kvak zaklepal na dveře
Žbluňkova domečku.

„Probuď se, Žbluňku," volal.

„Pojď se podívat ven,
jak je zima nádherná."

„Nechci," zabručel ropušák Žbluňk,

„mně je v posteli
pěkně teploučko."

„Zima je nádherná," řekl Kvak.

„Pojď ven a užijeme si."

„To nejde," řekl Žbluňk,

„nemám žádné zimní šaty."

Kvak vešel do domku.

„Přinesl jsem ti něco
teplého na sebe," řekl
a navlékl Žbluňka do zimního kabátu.

Na nohy mu natáhl tlusté kalhoty.

Na hlavu nasadil Žbluňkovi čepici
a kolem krku mu omotal šálu.

„Pomoc!" vykřikl Žbluňk.

„Můj nejlepší kamarád

se mě snaží zabít!"

„Já jen nechci,

aby ti bylo zima," vysvětloval Kvak.

Kvak a Žbluňk vyšli ven.

Vykračovali si spolu sněhem.

„Tenhle velký kopec

sjedeme na mých sáňkách,"

navrhl Kvak.

„Já tedy ne," prohlásil Žbluňk.

„Neboj se," řekl Kvak.

„Budu na saních s tebou.

Bude to nádherný rychlý sešup.

Ty se, Žbluňku, posadíš dopředu

a já si sednu hned za tebe."

Saně se rozjely z kopce.

„A jedem!" křičel Kvak.

Po chvíli narazili na hrbol,

a Kvak spadl ze sáněk.

Žbluňk se řítil kolem

stromů a balvanů.

„Jsem rád, Kvaku,
že jsi se mnou!" volal.
Žbluňk se přehoupl
přes sněhovou závěj.

„Bez tebe bych, Kvaku,

ty sáňky neuměl řídit.

Máš pravdu.

V zimě je legrace!

Ahoj, vráno!" zavolal Žbluňk.

„Jen se na nás podívej,

na Kvaka a na mě.

Sáňkujeme líp

než všichni ostatní.“

„Ale Žbluňku,“ řekla vrána,

„vždyť jsi na sáňkách sám.“

Žbluňk se ohlédl.

Uviděl, že za ním Kvak není.

„JÁ TU JSEM ÚPLNĚ SÁM!“

vykřikl.

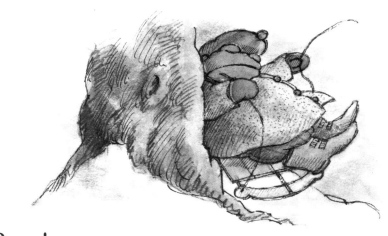

Bum!

Sáňky narazily na strom.

Prásk!

Sáňky najely na balvan.

Šššš…

a zabořily se do sněhu.

Z kopce seběhl Kvak

a vytáhl Žbluňka ze sněhu.

„Všechno jsem viděl,"

volal nadšeně.

„Vidíš, dokázal jsi to docela sám!"

„Nic jsem nedokázal,"

prohlásil nakvašeně Žbluňk.

„Ale něco přece svedu samostatně.“

„A co?“ zeptal se Kvak.

„Dokážu dojít sám domů,“

odpověděl důstojně Žbluňk.

„Zima je možná krásná,

ale postel je rozhodně mnohem lepší.“

Roh

Kvaka a Žbluňka zastihl déšť.

Běželi se schovat

do Kvakova domku.

„Jsem celý mokrý," zabručel Žbluňk.

„Máme pokažený den."

„Vezmi si čaj a koláč,"

nabízel Kvak.

„Však ono pršet přestane.

Když si stoupneš ke kamnům,

šaty ti za chvíli uschnou.

A mezitímco budeme čekat,

povím ti, co se mi jednou stalo.

Když jsem byl malý,

jen o trochu větší než pulec,"

vyprávěl Kvak,

„řekl mi jednou tatínek:

‚Synku, dnes je šedivý a studený den,

ale jaro už je za rohem.'

Chtěl jsem, aby tu už jaro bylo,

a tak jsem ten roh šel hledat.

Vydal jsem se po lesní pěšině,

až jsem přišel k nějakému rohu.

Obešel jsem ten roh,

abych se podíval,

jestli je za ním jaro."

„A bylo?" zeptal se Žbluňk.

„Ne," odpověděl Kvak.

„Byla tam jenom borovice,

tři oblázky a trochu suché trávy.

Pustil jsem se
po louce.
Za chvíli jsem byl
u dalšího rohu
a zašel jsem i za něj,
abych se podíval,
jestli je jaro tam."

„A našel jsi ho?"
chtěl vědět Žbluňk.
„Ne," zavrtěl hlavou Kvak.
„Jen na pařezu
spal starý červ.

Pak jsem šel podél řeky,

až jsem přišel k jinému rohu.

Obešel jsem ho

a hledal jsem jaro."

„Bylo tam?" vyptával se Žbluňk.

„Ne," odpověděl Kvak.

„Bylo tam jen vlhké bahno

a ještěrka,

která se honila za ocáskem."

„To už jsi byl asi pěkně unavený,"

poznamenal Žbluňk.

„To tedy byl," přikývl Kvak,

„a k tomu

ještě začalo pršet.

Šel jsem zpátky.

Když jsem došel domů,

našel jsem další roh.

Byl to roh našeho domu."

„Zašel jsi i za něj?"

zeptal se Žbluňk.

„Zašel jsem

i za tenhle roh,"

přisvědčil Kvak.

„A cos tam uviděl?"

zeptal se Žbluňk

netrpělivě.

„Viděl jsem,

jak z mraků vychází slunce,

viděl jsem na stromě ptáky

a slyšel jsem je zpívat.

Viděl jsem maminku a tatínka,

jak pracují na zahradě.

Viděl jsem na záhonech

malinké zelené rostlinky."

„Našel jsi ho!" nadšeně zvolal Žbluňk.

„Ano!" řekl Kvak, „našel jsem ten roh,

za kterým bylo jaro."

„Podívej, Kvaku, měl jsi pravdu,"

radoval se Žbluňk.

„Už přestalo pršet."

Kvak a Žbluňk spěchali ven.

Běželi za roh Kvakova domku,

aby se ujistili, že i tentokrát jaro

konečně přišlo.

Zmrzlina

Jednoho horkého letního dne
seděli Kvak a Žbluňk u rybníka.
„Teď bych si dal sladkou,
pěkně ledovou zmrzlinu,"
poznamenal Kvak.
„To je báječný nápad,"
souhlasil Žbluňk.
„Počkej tady, Kvaku,
hned budu zpátky."
A Žbluňk běžel do obchodu.

Koupil dva velikánské kornouty zmrzliny
a z jednoho si lízl.

„Kvak má nejradši čokoládovou,"
poznamenal, „a já taky."

Žbluňk šel po pěšině.

Po ruce mu stékala

velká hustá kapka

čokoládové zmrzliny.

„Zmrzlina se na slunci rozpouští,"
znepokojil se Žbluňk
a přidal do kroku.
Vzduchem hustě poletovaly
kapky rozteklé čokoládové zmrzliny
a přistávaly Žbluňkovi
na hlavě.

Žbluňk se dal do běhu.

„A jéje, musím si pospíšit,

abych už byl u Kvaka!"

bědoval nešťastně Žbluňk.

A zmrzlina se roztékala

a tála na slunci

čím dál víc.

Kapala Žbluňkovi na sáčko.

Padala mu na kalhoty

i na nohy.

„Kde je pěšina?"

křičel Žbluňk.

„Vůbec nic nevidím!"

Kvak seděl u rybníka

a čekal na Žbluňka.

Běžela kolem myš.

„Zrovna jsem viděla něco hrozného!"

vypískla myš.

„Bylo to hnědé a obrovské!"

„Blíží se to k nám,

je to ježaté a čouhají

z toho klacíky!" zavřískla veverka.

„Jde sem něco rohatého!" volal zajíc.

„Zachraň se, kdo můžeš!"

Co by to asi mohlo být?

uvažoval Kvak a schoval se za kámen.

Najednou to uviděl.

Bylo to hnědé a mohutné.

Bylo to pokryté listím

a klacíky a mělo to dva rohy.

„Kde jsi, Kvaku,

kde jsi?" volalo to.

„I propánajána!

To je přece Žbluňk!"

zděsil se Kvak.

Žbluňk spadl po hlavě do rybníka.

Potopil se až na dno

a zase vyplaval ven.

„Ach jo, to jsem tomu dal," řekl nešťastně.

„A je po zmrzlině."

„Nic si z toho nedělej,"
těšil ho Kvak.

„Já vím, co uděláme."
A Kvak a Žbluňk se rozběhli
zpátky do obchodu.
Potom se posadili
do stínu košatého stromu
a každý vylízal
svůj kornout sladké
čokoládové zmrzliny
do posledního
zbytečku.

Překvapení

Byl říjen.

Jednou pořádně zafoukalo

a listí ze stromů

bylo dole.

„Zaskočím ke Žbluňkovi,“

řekl si Kvak,

„a shrabu mu listí

na trávníku.

Ten se bude divit.“

A Kvak si zašel

do kůlny pro hrábě.

Také Žbluňk se podíval z okna.

„Tady to vypadá, všude spousta listí,"

řekl a vyndal si ze skříně hrábě.

„Zajdu ke Kvakovi a shrabu mu

zahrádku. To jsem zvědavý,

jak se bude Kvak tvářit, až to zjistí."

Kvak běžel lesem, aby ho Žbluňk neviděl.

Žbluňk utíkal vysokou trávou,

aby ho Kvak nezahlédl.

Kvak přišel ke Žbluňkovu domku

a nakoukl dovnitř.

„To je dobře," řekl si Kvak,

„Žbluňk je pryč.

Určitě bude zvědavý,

kdo mu to listí shrabal."

Žbluňk obešel Kvakův domek

a podíval se oknem dovnitř.

„To jsem rád, že Kvak není doma.

Nebude mít ani tušení,

kdo si namohl záda

na jeho zahrádce."

Kvak se činil,

hrabal listí na hromadu

a za chvilku

byl trávník čistý.

Potom sebral hrábě

a vydal se na zpáteční cestu.

Také Žbluňk se pilně oháněl,

shrabával listí do kupy

a brzy nebyl na Kvakově

přední zahrádce

ani jeden lísteček.

Žbluňk si narovnal záda,

vzal hrábě a šel domů.

Zvedl se vítr.

Foukalo po celém kraji.

Hromadu listí,

které Kvak pohrabal u Žbluňka,

rozfoukal vítr na všechny strany.

Kupa listí,

které Žbluňk shrabal u Kvaka,

se rozlétla do všech koutů.

Když se Kvak vrátil domů, řekl si:

„Zítra si taky musím uklidit

na své zahrádce, ale hlavně

že se teď Žbluňk pěkně diví!"

Žbluňk přišel domů a umiňoval si:

„Zítra se dám do práce

a taky si shrabu trávník.

Ale co, Kvak teď určitě nevěří svým očím!"

Když toho večera

Kvak a Žbluňk zhasli světlo

a zalezli si do postele,

byli oba velmi zmožení,

ale náramně šťastní

a spokojení.

Štědrý večer

Na Štědrý večer

připravil Žbluňk bohatou večeři

a ozdobil stromeček.

„Už je pozdě a Kvak nejde

a nejde," řekl Žbluňk

a podíval se na hodiny.

Pak si vzpomněl, že jsou porouchané

a že ručičky stojí.

Žbluňk otevřel dveře

a podíval se ven do tmy.

Kvak tam nebyl.

„To mi dělá starosti," povzdychl si Žbluňk.

„Co když se přihodilo něco hrozného?

Co když Kvak spadl

do hluboké jámy

a nemůže se dostat ven?

Už ho jakživ neuvidím."

Žbluňk znovu otevřel dveře.

Kvak na cestičce nebyl.

„Co když se Kvak

v lese ztratil?"

strachoval se Žbluňk.

„Co když tam bloudí,

dočista prokřehlý,

a má hlad?

Možná Kvaka honí

nějaké obrovské zvíře

s ostrými tesáky!

A co když ho právě teď požírá?"

úpěl Žbluňk.

„Už spolu nikdy

neoslavíme žádné Vánoce!"

Žbluňk si došel do sklepa pro provaz.

„Tímhle vytáhnu Kvaka

z jámy," uvažoval.

Pak našel na půdě lucernu.

„Kvak tohle světýlko uvidí

a ukáže mu cestu z lesa."

V kuchyni vzal pánev na smažení.

„Tímhle to strašné zvíře praštím,

až mu vypadnou všechny zuby.

Kvaku, neboj se!"

volal Žbluňk do tmy,

„už ti běžím na pomoc!"

Žbluňk vyběhl

z domku.

Venku stál Kvak.

„Ahoj, Žbluňku," řekl Kvak vesele.

„Promiň, že jdu pozdě,

ale balil jsem pro tebe dárek."

„Nespadl jsi do hluboké jámy?“

nechápal Žbluňk.

„Ne,“ řekl Kvak.

„Nezabloudil jsi v lese?“ ujišťoval se Žbluňk.

„Ne,“ podivil se Kvak. „Vůbec ne.“

„Nechystala se tě sežrat

obrovská zubatá obluda?“

„Ale ne,“ vrtěl hlavou Kvak.

„Ach Kvaku,“ vydechl Žbluňk,

„já mám takovou radost,

že spolu oslavíme Vánoce!“

Po večeři Žbluňk rozbalil Kvakův dárek.

Byly to krásné nové hodiny.

Kamarádi seděli u krbu

a dívali se do ohně.

V jeho světle ručičky hodin

svítily a ukazovaly, jak plyne čas

šťastného Štědrého večera.

Kvak a Žbluňk
od jara do Vánoc

Z anglického originálu Frog and Toad All Year,
vydaného nakladatelstvím
HarperCollins Publishers Inc., New York, 1976,
přeložila Eva Musilová
Původní ilustrace Arnold Lobel
Grafická úprava a sazba Pavel Hrach
Vydalo nakladatelství Albatros v Praze roku 2012
ve společnosti Albatros Media a. s.
se sídlem Na Pankráci 30, Praha 4,
číslo publikace 16 605
Odpovědná redaktorka Zuzana Kovaříková
Výtvarná redaktorka Alexandra Horová
Technická redaktorka Arnoštka Svobodová
Výtisky Tiskárny Havlíčkův Brod, a. s., Husova 1881, HB
3. vydání

Pro začínající čtenáře

www.albatrosmedia.cz

ALBATROS MEDIA a.s.